안장왕

삼국사기

신분과 국경을 초월해 사랑하다

원작 김부식 **글** 구들 **그림** 김윤이 **감수** 금경숙

"꺄악! 거기 누구 없느냐?"

평양성* 별궁에서 비명 소리가 들려왔어요.

근처를 지나던 흥안 태자*와 을밀 장군이

그 소리에 놀라 별궁으로 뛰어갔지요.

"제 고양이를 좀 구해 주세요."

안학 공주가 가리키는 곳을 보니 새끼 고양이가 쥐 두 마리에게 쫓기고 있었어요.

"고양이가 겨우 쥐한테 당하다니……. 못난 놈 같으니라고!"

흥안 태자가 칼을 뽑아 들고 휘두르자 쥐들이 놀라서 달아났어요.

을밀이 상처 입은 새끼 고양이를 안학 공주에게 건네주었어요.

"많이 다치지 않은 것 같으니 너무 걱정 마십시오."

고양이를 받아 든 안학 공주의 얼굴이 발갛게 달아올랐어요.

을밀도 안학 공주를 보며 살짝 미소를 지었지요.

물끄러미 고양이를 바라보던 흥안 태자가 갑자기 별궁 밖으로 달려 나갔어요.

*평양성 : 고구려의 수도로 오늘날 황해도 평양 지역에 있던 성

*태자 : 왕위를 이을 후계자

"태자마마, 왜 그러십니까?"

뒤따라 달려 나온 을밀이 걱정스러운 표정으로 묻자

흥안 태자가 한숨을 내쉬며 말했어요.

"쥐들에게 쫓기는 고양이를 보는 순간,

백제와 신라에게 공격당하는 고구려를 보는 것 같아 화가 치밀었어."

가만히 흥안 태자의 말을 듣던 을밀이 물었어요.

"그럼, 그 쥐들이 백제와 신라라는 말씀이십니까?"

흥안 태자가 고개를 끄덕였어요.

고구려는 한반도에서 가장 강한 나라였어요.

하지만 백제와 신라가 힘을 합해 고구려에 맞서는 데에는

고구려도 어찌할 방법이 없었어요.

그날 밤, 흥안 태자는 아버지 문자왕을 찾아갔어요.

"아바마마, 지금 백제와 신라는 손을 잡고 고구려를 괴롭히고 있습니다.

허락해 주신다면 제가 직접 백제의 상황을 살피고 오겠습니다."

문자왕은 흥안 태자가 대견한 듯 고개를 끄덕였어요.

"과연 고구려 왕자답구나. 조심해서 다녀오너라."

흥안 태자는 물건을 팔러 다니는 장수로 변장하고 길을 떠났어요.
한강을 건넌 흥안 태자는 국경*을 넘어 백제 개백현에 도착했어요.
개백현은 고구려와 백제의 국경이 맞닿아 있는 지역이라
항상 팽팽한 긴장감이 감도는 마을이었지요.
흥안 태자는 개백현 여기저기를 돌아다니며 소리쳤어요.
"귀하고 아름다운 물건이 많아요! 중국에서 건너온 황금 비녀도 있고,
바르기만 하면 얼굴이 비단처럼 부드러워지는 화장품도 있어요!"
한참을 돌아다니는데 누군가 부르는 소리가 들렸어요.
"이보세요! 잠깐 물건 구경 좀 할게요."
흥안 태자는 소리 나는 곳으로 달려갔어요.
큰 집 대문 앞에 한 여인이 서 있었어요.
흥안 태자는 얼어붙은 듯 서서 그 여인을 바라보았어요.
갸름하고 하얀 얼굴을 한 아름다운 여인이 살짝 웃으며
흥안 태자를 바라보고 있었지요.

*국경 : 나라와 나라의 영역을 가르는 경계

여인과 눈이 마주친 홍안 태자는 가슴이 뛰기 시작했어요.

'세상에 저렇게 아름다운 여인이 있었다니…….'

여인도 홍안 태자를 본 순간 홍안 태자의 늠름한 모습에 반했답니다.

여인이 수줍어하며 말했어요.

"짐깐 안으로 들어오시겠어요?
우리 집에는 여자가 많아서 물건을 많이 파실 수 있을 거예요."
여인의 이름은 한주였어요.
흥안 태자가 집 안으로 들어와 갖가지 물건들을 펼쳐 놓자
한주의 어머니와 여동생들이 탄성을 질렀어요.
"어머나! 이것들은 백제에서는 구경도 못하는 귀한 거야."
"한주 언니! 우리 이거 전부 다 사요."
한주의 어머니와 여동생들은 물건을 고르느라 정신이 없었지만
한주와 흥안 태자는 서로의 눈을 바라보고 있었지요.
두 사람은 서로 사랑을 느끼고 있었답니다.

하지만 흥안 태자는 곧 흔들리는 마음을 바로잡았어요.

'고구려 왕자인 내가 적국의 여인을 사랑하다니, 이러면 안 된다.'

한편 한주도 안타까운 마음이었어요.

'개백현에서 제일가는 집안의 딸이
물건 파는 장수와 사랑에 빠졌다고 한다면
부모님께서 얼마나 속상해 하실까.'

두 사람은 서로 사랑을 느끼고 있었지만
표현하지 못한 채 속만 태울 뿐이었지요.

이윽고 흥안 태자는 아쉬움을 안고 한주의 집을 나섰어요.

흥안 태자는 밤새 한주의 집 앞을 서성거렸답니다.

날이 밝아올 무렵, 흥안 태자는 결심을 했어요.

'정신 차리자! 나는 한가롭게 사랑이나 할 수 있는 사람이 아니야.
나는 고구려 왕자로 적국의 상황을 살피러 온 거야. 임무를 잊으면 안 돼!'

흥안 태자는 스스로를 꾸짖으며 개백현을 떠났어요.

그리고 백제 곳곳을 다니며 백제에 대한 여러 가지 정보를 얻어 냈지요.

'이제 백제에 대한 웬만한 정보는 다 얻은 셈이다.
어서 고구려로 돌아가 백제를 공격할 계획을 세워야겠다.'

하지만 흥안 태자의 마음속에는 여전히 한주가 남아 있었답니다.

'마지막으로 한 번만 한주의 얼굴을 보고 가야겠다.'

개백현으로 들어서는 흥안 태자는 가슴이 두근거렸어요.

그때 마을 아낙들이 하는 이야기가 들렸어요.

"한주 아가씨가 요즘 이상해졌다며?"

"그러게 말이야. 물건 파는 장수만 지나가면 불러다가
얼굴을 살피고는 한숨을 내쉬며 눈물을 흘리신대."

그 소리를 들은 홍안 태자는 정신 없이 한주의 집으로 달려갔어요.

한주는 멍한 얼굴로 창가에 서 있었어요.

"한주 아가씨!"

흥안 태자가 달려가 한주를 불렀어요.

한주는 흥안 태자를 보고 눈물을 흘리며 말했어요.

"당신은 내 이름이라도 알고 있지요.

나는 당신 이름도 모르는 채 몇 달을 기다리며 그리워했답니다."

흥안 태자는 한주를 꼭 끌어안았어요.
자기가 고구려 왕자라는 것도, 한주가 백제 여자라는 것도
더 이상 생각하고 싶지 않았어요.
그날 이후, 흥안 태자와 한주는 몰래 만나며 사랑을 키워 갔지요.
하지만 하루하루 날이 갈수록 흥안 태자는 초조해졌어요.
'지금쯤 고구려에서는 아바마마와 대신들이
나를 기다리고 있을 것이다. 어서 돌아가야 하는데…….'

그러던 어느 날 한주가 말했어요.

"홍안님과 혼인하겠다고 부모님께 말씀드리겠어요.

부모님이 반대하시더라도 뜻을 굽히지 않겠어요."

그러자 흥안 태자가 한숨을 쉬며 어렵게 말을 꺼냈어요.

"사실 나는 고구려 왕자라오.

백제를 염탐하러 왔다가 그대와 사랑에 빠지게 된 것이오."

한주는 너무 놀라 숨조차 쉴 수가 없었어요.

"적국의 왕자를 사랑하다니……. 이제 저는 어쩌지요?"

흥안 태자는 한주의 손을 꼭 잡고 말했어요.

"나는 이제 고구려로 가야 하오.

반드시 그대를 다시 찾아와 정식으로 혼인하겠소. 부디 나를 믿고 기다려 주시오."

한주는 입술을 꼭 깨물고 고개를 끄덕였어요.

"태자님이 저를 찾으러 오실 때까지 기다리겠어요. 그러니 태자님도 저를 잊지 마세요."

그렇게 흥안 태자와 한주는 안타까운 이별을 했어요.

고구려로 돌아온 흥안 태자는 백제를 염탐하며 모은 정보를
문자왕에게 자세히 알려 주었어요.
"허허, 흥안아. 정말 큰일을 해냈구나. 네가 자랑스럽다."
하지만 흥안 태자는 한주를 생각하면 괴로웠어요.
그래서 안학 공주와 을밀에게 이 사실을 털어놓았어요.

"오라버니! 같은 여인으로서 저는 한주 아가씨가 얼마나 힘들지 짐작이 가요.
어서 아바마마께 말씀드리고 한주 아가씨를 고구려로 모셔 오세요."
안학 공주의 말에 을밀은 반대했어요.
"안 됩니다. 만약 그렇게 하시면 한주 아가씨는 목숨을 잃을 수도 있습니다.
태자마마에게는 사랑하는 여인이지만,
폐하께서 보시기에는 믿을 수 없는 적국의 여자입니다.
태자마마와 헤어진 사이에 한주 아가씨가 마음이 변해서
백제의 첩자가 되었을지도 모른다고 의심하실 것입니다."
흥안 태자는 말없이 고개를 끄덕였어요.
그날 밤 을밀은 몰래 부하 한 사람을 불러 말했어요.
"백제 개백현으로 가서 한주 아가씨를 잘 살펴보거라.
혹시 무슨 일이 생기면 즉시 나에게 알려 다오."
을밀의 지시를 받은 부하는
곧 국경을 넘어 백제로 갔어요.

흥안 태자가 떠난 후 한주는 하루하루를 눈물로 보냈어요.
그러던 어느 날, 개백현에 새로운 태수가 오게 되었어요.
화려하게 장식한 말과 수레 행렬이 한주의 집 앞을 지나갔어요.
동네 사람들은 모두 그 행렬을 구경하러 나왔지만
한주는 멍하니 서서 고구려가 있는 북쪽 하늘을 바라보았어요.
수레를 타고 가던 태수는 한주의 모습을 보고 한눈에 반하고 말았어요.
태수는 한주의 부모님을 찾아와 자신의 마음을 전했지요.
"한주 아가씨를 아내로 맞게 해 주십시오."
태수의 청혼을 받은 한주의 부모님은 몹시 기뻐했어요.
"우리 집이 재산은 많아서 부자 소리를 듣지만 귀족이 아니라서 아쉬웠는데
이번에 태수와 한주가 혼인하면 우리도 귀족이 되는 것 아니오?
어서 한주의 마음을 물어봅시다."
한주의 아버지가 말하자 어머니도 손뼉을 쳤어요.
"묻고 말고 할 것 없이 당장 두 사람을 혼인시키도록 해요."
이 사실을 안 한주는 짐을 쌌어요.
'내 발로 흥안 태자님을 찾아가는 수밖에 없어.'
하지만 태수의 부하들이
국경을 넘어가려는 한주를 붙잡았어요.

태수 앞에 끌려온 한주는 모든 사실을 털어놓았어요.

태수는 질투심과 분노로 얼굴이 일그러졌어요.

"내가 이 사실을 폐하께 알리면 너는 첩자로 몰려 사형당할 것이다.

만약 나와 혼인한다면 모든 것을 비밀로 하겠다.

그러니 어찌할 것인지 선택을 해라."

그러자 한주는 침착하게 대답했어요.

"저는 목숨을 버릴지언정 사랑하는 남자를 배신할 수는 없습니다."

드디어 머리끝까지 화가 치민 태수는

한주를 옥에 가두었어요.

그날 밤, 웬 남자 하나가 국경을 넘어 고구려로 들어왔어요.

을밀이 보낸 첩자였어요.

고구려에서는 문자왕이 세상을 떠나고 흥안 태자가 왕위에 올랐어요.

그가 바로 안장왕이지요.

을밀은 안장왕을 찾아와 한주의 소식을 전했어요.

"폐하. 실은 제가 부하 하나를 백제로 보내

한주 아가씨를 지켜보도록 했습니다.

그런데 한주 아가씨가 지금 태수의 청혼을 거절해서 옥에 갇혔다고 합니다."

을밀의 말에 안장왕은 마음이 아팠어요.

"제가 백제로 가서 한주 아가씨를 구해 오겠습니다."

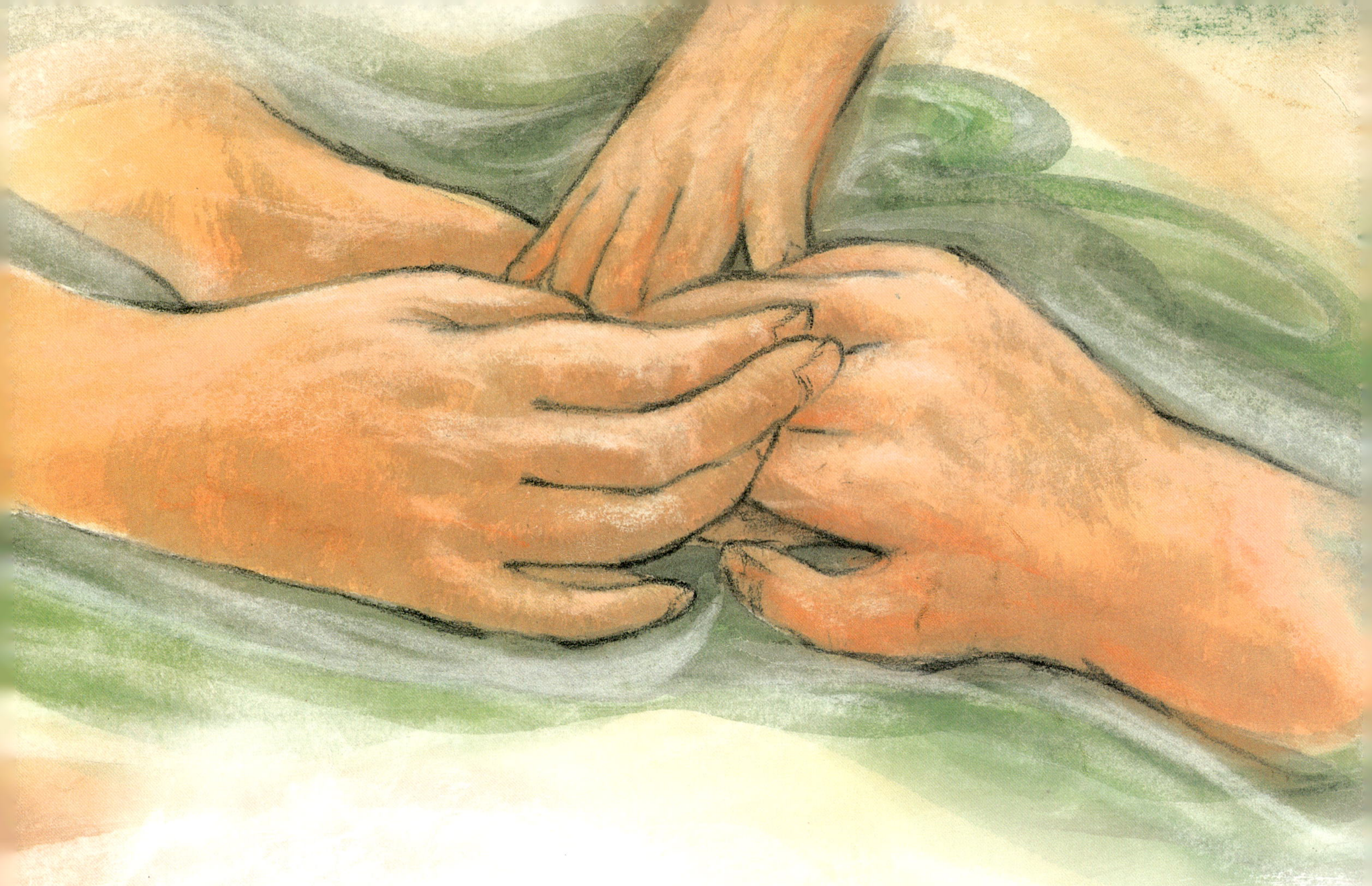

안장왕은 을밀의 손을 잡으며 말했어요.

"그대가 그렇게 해 준다면 정말 고마운 일이오.

나도 그대에게 무엇인가 해 주고 싶으니 소원을 말해 보시오."

"사실 오래전부터 저는 안학 공주님을 사랑하고 있었습니다.

이번에 제가 무사히 임무를 다 하고 돌아오면 저희 둘의 혼인을 허락해 주십시오."

안장왕은 깜짝 놀라며 말했어요.

"내가 내 사랑에만 신경을 쓰느라 아끼는 부하와 누이 동생의 사랑은 눈치 채지 못했구려.

반드시 두 사람의 혼인을 허락하겠소."

한편, 백제 개백현에서는 태수의 생일 잔치로 동네 전체가 북적거렸어요.

태수에게 초대된 많은 손님들이 즐겁게 먹고 마시며 노래를 부르고 춤을 추었어요.

잔치가 한창 흥겨워질 때쯤 밧줄에 묶인 한주가 끌려 나왔어요.

"자, 한주! 마지막으로 묻겠다. 나와 혼인하겠느냐, 아니면 오늘 처형을 당하겠느냐?"

한주는 전혀 겁내지 않고 대답했어요.

"태수님과 혼인하느니 차라리 죽음을 택하겠습니다."

태수는 머리끝까지 화가 나 소리쳤어요.

"당장 한주의 목을 쳐라!"

바로 이때였어요. 갑자기 흥겨운 음악 소리가 울리더니
광대 한 무리가 몰려왔어요.

"헤헤헤, 태수님! 저희는 떠돌이 광대인데 태수님의 생신을
축하하려고 이렇게 왔습니다요."

"저 아가씨를 처형하시기 전에 저희들의 춤 한번 구경하시지요."

말을 마친 광대들은 신나게 춤을 추기 시작했어요.

어느새 태수도 긴장이 풀어져 마음껏 웃어 대며
광대들 틈으로 들어가 춤을 추었어요.

그때, 광대 한 명이 품에서 칼을 꺼내더니 태수의 가슴을 찔렀어요.

"우욱!"

태수는 짧은 비명을 지르며 그 자리에 쓰러지고 말았어요.

태수를 찌른 광대가 가면을 벗자 다른 광대들도 가면을 벗어 던졌지요.

그들은 바로 고구려 군사들이었어요.

고구려 군사들은 함성을 지르며 태수의 무리들을 공격했어요.

그사이 을밀은 재빨리 한주를 묶었던 밧줄을 풀어 주며 말했어요.

"고봉산에 올라가 봉화*를 피우십시오. 그러면 왕께서 오실 것입니다."

*봉화 : 나라에 일이 있을 때 신호로 올리던 불

을밀과 군사들이 태수의 무리들을 무찌르는 사이
한주는 고봉산으로 올라가 봉화를 피웠어요.
개백현 근처 숲에서 군사들과 함께 기다리고 있던 안장왕은
멀리 고봉산에서 봉화가 피어오르는 것을 보았지요.
"을밀이 드디어 해냈구나! 고구려 군사들이여, 공격하라!"
안장왕이 힘차게 외치자 고구려군은 함성을 지르며 개백현으로 쳐들어갔어요.
태수의 생일날 난데없는 전쟁이 일어나자 백성들은 모두 놀라 달아났지요.
안장왕과 을밀의 지휘로 고구려군은 간단하게 백제군을 무찔렀어요.
"폐하! 고봉산에서 한주 아가씨가 기다리십니다."
을밀의 말에 안장왕은 서둘러 고봉산 꼭대기로 올라갔어요.
그곳에서 한주가 안장왕을 기다리고 있었어요.
"한주! 늦게 와서 미안하오. 그동안 얼마나 고생이 많았소?"
"아닙니다. 이렇게 저와의 약속을 잊지 않고 지켜 주시다니 고마울 따름입니다."
며칠 후 고구려 대궐에서 안장왕과 한주의 성대한 혼인식이 열렸어요.
바로 그날 을밀과 안학 공주도 혼인식을 올렸지요.
신분과 국경을 초월해 믿음과 사랑을 나눈 그들은 오래오래 행복하게 살았답니다.

국경과 신분을 뛰어넘은 사랑

안장왕

「고구려의 안장왕과 백제의 한주는 국경과 신분을 뛰어넘어 사랑을 지켰어요」

안장왕은 고구려 제21대 문자왕의 맏아들로, 백제 여인 한주와의 사랑으로 더욱 유명한 왕입니다. 당시 고구려는 남진정책을 추진 중이었는데, 백제와 신라가 동맹을 맺고 대항하는 바람에 큰 어려움을 겪고 있었어요. 특히 고구려와 백제는 한강 유역을 둘러싸고 팽팽한 신경전을 펼치고 있었지요. 그래서 안장왕이 적국인 백제의 여인을 왕비로 삼았다는 기록을 의심하는 사람들도 있답니다.

그러나 많은 학자들은 안장왕이 왕으로 있는 동안 고구려가 백제를 두 번이나 공격해 백제의 성을 점령했다는 기록을 들어 이 이야기가 꾸며 낸 이야기가 아니라 역사적 사건을 바탕으로 한 실화라고 믿고 있지요. 이 이야기를 뒷받침하는 사실로 고구려가 점령한 지역이 바로 한주가 살았다는 지금의 고봉산 일대라는 점과 고봉산 꼭대기에 봉화대가 남아 있는 점 등을 들고 있어요. 오랜 세월이 흐른 뒤에도 신분의 벽을 넘어 서로의 사랑을 지킨 안장왕과 한주 이야기는 '춘향전' 과 아주 비슷합니다. 안장왕은 이몽룡을, 한주는 성춘향을, 그리고 태수는 변사또를 닮았지요. 그래서 학자들은 '춘향전' 이 안장왕과 한주의 사랑 이야기를 바탕으로 해서 만들어진 것이라고 주장하기도 합니다. 적국의 여인을 잊지 않고 구하러 온 안장왕과 목숨을 걸고 한 사람만을 사랑한 한주의 이야기는 믿음이 얼마나 소중한 것인가를 보여 주는 아름다운 이야기입니다.

기원전 37년 고구려 건국

3년 국내성으로 도읍 옮김

194년 진대법 실시

313년 낙랑군 정복

372년 불교 유입

391~413년 광개토대왕의 대륙 정복 사업

427년 평양성으로 도읍 옮김

안장왕과 관련 있는 **인물들**

문자왕 : 고구려 제21대 왕

장수왕의 손자로 왕위에 있었던 기간은 491~519년입니다. 나제동맹을 통한 백제와 신라의 연합작전으로 일진일퇴를 거듭하기도 하였으나 문자왕 때 고구려는 대국으로 발전하였습니다.

알고 싶은 **요모조모**

조의선인 을밀

안장왕을 도운 을밀은 고구려의 '조의선인'이었어요. 조의선인은 신라의 화랑과 비슷한 고구려의 인재들로 검은색 도복을 입고 고구려의 전통 무예인 신선도를 수련하며 몸과 마음을 닦았습니다. 고구려를 빛낸 영웅들이었던 을지문덕, 연개소문, 양만춘 등이 모두 조의선인 출신이었다고 해요.

494년
고구려
부여 정복

519년
안장왕
고구려 제22대 왕 즉위

529년
고구려
백제 공격

612년
살수대첩

660년
나당연합군
평양성 공격

668년
고구려 멸망

궁금증을 풀어 주는

미로여행

Q1

문자왕 시대에 **백제와 신라**가 고구려를 괴롭혔나요?

문자왕이 다스리던 시기에 신라 제21대 소지왕과 백제 제24대 동성왕이 **결혼동맹**을 맺었어요. 이후로 백제와 신라는 힘을 합해 자주 고구려를 공격해서 싸움이 많이 일어났어요.

Q2

삼국 시대에는 장사꾼들이 **어떤 물건**을 팔았을까요?

여자들이 일상 생활에 필요한 물건들을 갖고 다니며 팔았던 장사꾼을 **방물 장수**라고 해요. 삼국 시대부터 방물 장수들이 주로 화장품이나 거울, 머리빗 등을 가지고 다니며 팔았어요.

Q3

고구려 시대에도 여자들이 **화장**을 했나요?

기록을 보면 **삼국 시대**부터 본격적인 화장을 했다고 해요. 특히 고구려 사람들은 신분의 높고 낮음에 상관 없이 볼과 입술에 연지를 발랐다고 해요. 고구려 고분벽화에서도 연지를 바른 사람들의 모습을 찾아볼 수 있지요.

Q4

삼국 시대에 **국경**의 기준이 있었나요?

삼국 시대에는 주로 중요한 산에 **성**을 쌓고 그 성을 기준으로 국경을 삼았어요. 성을 쌓을 수 없는 곳에는 나무로 목책을 쌓아 국경을 표시하고 군사들이 지켰지요. 한강 유역을 차지한 고구려가 세운 중원고구려비, 신라 진흥왕이 세운 순수비 역시 일종의 국경 표시였어요.